CW00762733

www.tredition.de

www.tredition.de

© 2019 Maria Tschanz

Coverbild: ©Maria Tschanz
Lektorat: Ursula Weber-Kelke
Verlag und Druck: tredition GmbH, Halenreie 40-44, 22359 Hamburg

ISBN
Paperback: 978-3-7497-1737-8
Hardcover: 978-3-7497-1738-5
e-Book: 978-3-7497-1739-2

Das Werk, einschließlich seiner Teile, ist urheberrechtlich geschützt. Jede Verwertung ist ohne Zustimmung des Verlages und des Autors unzulässig. Dies gilt insbesondere für die elektronische oder sonstige Vervielfältigung, Übersetzung, Verbreitung und öffentliche Zugänglichmachung.

Maria Tschanz

Das Alphabet der Liebe

33 Mantras für Meditation und Besinnung

Für all jene, die sich der Liebe verschreiben, die Erde zum Himmel machen, die Liebe erfahren, die Liebe schenken.

Für meine Schwester Ursula. Tausend Dank, dass Du mit mir dieses Buch als Lektorin und Beraterin durchlebt hast und für Deine Präsenz.

Vorwort

Dieses Buch ist ein Geschenk. Über Wochen schon kündigte es sich an. Es war, als erinnere ich einzelne Informationen zu Gehalt, Wesen und Form der Aufzeichnung, zugleich hörte ich vollständige Mantras in meinen Träumen. Sicher waren die Erfahrungen aus all den vielen Gesprächen und Therapiesitzungen in meiner Praxis als Heilpraktikerin für Psychotherapie und ebenso die Kräfte aus meiner Arbeit mit energetischen Heilverfahren mit eingeflossen, denn die einzelnen Qualitäten des Weges der Liebe leuchteten quasi in „Visionen" auf. Inzwischen hatte ich auch begonnen, mit anderen diesen Weg der Mantra-Meditation zu praktizieren und nun sollten meine Klient*innen dies auch in eigener Regie ausführen können; dazu regten sie mich zumindest an.

Ich zog mich für einige Zeit aus dem Alltagsleben zurück und gab mich den neuen Erfahrungen hin. Erst in dieser Ruhe und Konzentration erschloss sich das gesamte Konzept. Hier kam die Überraschung für mich selbst, denn wie durch schon geöffnete Tore zog es mich und ich entdeckte eins ums andere Attribut in aller Klarheit und Differenziertheit, fand die 33 Segmente des Weges in ihrer Ordnung. Einmal alle Attribute der Liebe ausgemacht, begann ich selbst erneut damit zu spielen, sie zu durchwandern.

Lassen auch Sie sich überraschen und begeistern von den wunderbaren Erfahrungen, Möglichkeiten und Entdeckungen. Dieses praktische Arbeitshandbuch eröffnet Ihnen seinen Zauber so, wie Sie es bestimmen. Es kann ein Garten zum stillen Verweilen sein oder ein Ort, an dem Sie Erkenntnis, Wissen und Bewusstheit erfahren – es wird immer seine Magie und Wirkung entfalten.

Liebe Leser*in, die Sie dieses Buch in Händen halten:

Willkommen im Garten der Attribute der Liebe

Das Mantra

Mantra leitet sich aus dem Sanskrit ab und besteht aus den Wortwurzeln *man* für *klingen, fühlen, murmeln* und *tra* für *beschützende Kraft, rettend*. Es bezeichnet gleichsam ein Gebet, eine magische Formel, die - gesprochen - die Kraft hält, in einen positiven Geisteszustand zu gelangen und sich zu fokussieren. Die dahinterliegende Idee besagt weiterhin, dass unsere Gedanken eine große Kraft besitzen und wir durch Sprechen, Denken, Rezitieren des Mantras dieses in das Hier und Jetzt holen. Zudem entfaltet sich die in diesem innewohnende Klangschwingung,- damit manifestieren wir diesen Klangkörper in unserer Realität. Wir setzen dieses uns zur Verfügung stehende Prinzip gezielt ein im Wissen um die Möglichkeit, die im Mantra enthaltene Intension über den Klang in unser Leben zu transportieren.

Ein Mantra ist ein spezieller Vers oder auch nur eine einzelne Wortformel. In seiner besonderen Gestaltung trägt es die beschriebene starke Energie in sich. Während der Meditation oder der Rezitation, laut oder in Gedanken ständig wiederholt, wird das darin enthaltene Potenzial freigesetzt, es entfaltet sich. Es sind Gedankenschwingungen, die wir erzeugen. Ein Gebet an die Schöpferkraft, ein Gebet an uns selbst.
So wirkt das Mantra heilend und nährt Sie in Ihrer Ganzheit. In Ihnen wird eine Resonanzwirkung erzeugt, die Ihren Körper, Geist und Seele berühren. Nicht zuletzt wirkt diese Form der Meditation harmonisierend auf die Energiezentren, Sie laden sich mit geistiger Kraft auf und unterstützen somit Ihr spirituelles Wachstum.

Genießen Sie die Erfahrung dieser tiefen spirituellen Momente und tauchen Sie ein in die heilsame Welt dieser Mantra-Meditationen.

Wie Sie mit diesem Buch arbeiten können

Vorliegend finden Sie ein Buch mit 33 Attributen der Liebe und dazugehörigen Mantras für die Meditation und Besinnung.

Sie werden einen Weg beschreiten, auf dem Sie alle Qualitäten tief erfassen und diese in sich verankern. Jedes Mantra hilft Ihnen dabei, die ausgewählte Eigenschaft aufzunehmen, um sie zu ertasten, zu erfahren, zu verstehen, sie nachzuvollziehen, sie schlussendlich in Ihnen zu etablieren. So kann ein jedes Attribut der Liebe Sie befähigen, die Liebe und diese Qualität Ihnen selbst und anderen gegenüber zum Ausdruck zu bringen, denn sie steht Ihnen wie selbstverständlich zur Verfügung. Sie wird Teil von Ihnen, aktiviert sich als lebendige Eigenschaft Ihres Charakters, wird eine Tugend. Sie selbst erheben sich zu einer Meisterschaft, werden Meister*in der Liebe.

Die Auswahl

Sich einen Buchstaben aus dem Alphabet der Liebe auszuwählen oder sich direkt und bewusst ein bestimmtes Attribut herauszusuchen, sind jeweils Gelegenheiten, eine Meditation mit dem Mantra zu beginnen. Eine weitere Möglichkeit ist, das Buch auf einer beliebigen Seite aufzuschlagen und das scheinbar „zufällig" gefundene Attribut aufzugreifen. Entscheiden Sie intuitiv, welche Form der Auswahl Sie treffen. Vertrauen Sie dabei Ihrem Gespür und halten Sie die Absicht, das herauszufinden, was für Sie in diesem Moment relevant ist.

Die kurzen Beschreibungen der Attribute können Ihnen grundlegend für die Meditation Einstimmung sein, doch auch zu Anregung, Inspiration und Erinnerungsimpuls werden, um in die jeweilige Qualität einzutauchen. Diese zu lesen wird sich auf diese Weise als hilfreich erweisen, gerade zu Beginn Ihrer Arbeit mit diesem Buch, um sich auf die jeweiligen Eigenschaften einlassen zu können.

Der Übungsablauf

Sie werden lernen, Ihren Körper zu entspannen und Ihre Gedanken auf das Mantra zu fokussieren. Wenn Sie schon Erfahrung mit Meditation haben, dann kennen Sie vielleicht bereits Ihre eigene erfolgreiche und geeignetste Art der Versenkung und Besinnung. Doch es bedarf keiner Vorkenntnisse oder langer Praxis, um diese Übungen auszuführen.

Wichtig ist einzig: Schenken Sie sich Zeit für diese Mantra-Meditation. Ob Sie die Übung als Erstes am Morgen durchführen oder erst zum Tagesabschluss oder auch im Laufe des Tages, dann, wenn Sie Zeit für eine Pause haben, hängt von Ihren eigenen Bedürfnissen, den Gegebenheiten und auch Wünschen ab.

Ich erlaube mir, im nächsten Abschnitt der direkten Anleitung vom förmlichen „Sie" zum persönlichen „Du „zu wechseln, um einen direkteren Zugang zu ermöglichen.

+ Schaffe dir Raum und Ruhe. Dazu schalte Handy, Computer und Benachrichtigungen aus, ziehe dich an einen Ort zurück, an dem du für die Dauer der Übung ungestört bist.
+ Wachheit und Konzentration für die Übung hältst du am einfachsten in einer bequemen Sitzhaltung – statt im Liegen.
+ Sobald du dir ein Mantra ausgewählt hast, schließe die Augen.
+ Konzentriere dich auf deinen Atem, nimm wahr, wie die Luft ein und ausströmt, lass die Atmung in ihrem natürlichen Rhythmus fließen.

- Deine Zunge liegt entspannt am Boden des Mundes, die Zungenspitze berührt dabei sanft den Gaumen.
- Hinter deinen geschlossenen Augen stelle dir nun einen weiten, leeren Raum vor. Spüre, wie tief sich dieser Raum erstreckt, dehne ihn aus und lass ihn so weit werden, wie es dir nur möglich ist. Vielleicht wird er grenzenlos, so weit wie das Universum.
- Deine Atemzüge werden ruhiger und länger. Möglicherweise verhilft es dir zu vertiefter Konzentration, Deine Atmung zu begleiten. Dabei zähle langsam auf 4 bei der Einatmung, auf 7 bei der Ausatmung, ein 1-2-3-4 , aus 1-2-3-4-5-6-7 …
- Tauchen Gedanken in der Meditation auf, so lass sie gehen, ohne Ärger über die Störung, ohne ihnen Kraft zu geben, ohne sie weiter zu beachten. Wie Wolken ziehen sie vorbei und du lenkst deine Aufmerksamkeit wieder auf deine Übung, auf deine Atmung, deine Betrachtung.
- Nun wandere mit deiner Aufmerksamkeit zu dem Ort in deiner Brust, wo sich dein physisches Herz befindet. Es ist ein warmer, pulsierender Raum, den du wahrnehmen kannst, eine behagliche Weite, ein sicherer Ort. Stelle dir vor, wie du nun durch diesen ein- und ausatmest und bleibe mit deiner Aufmerksamkeit in dieser Bewegung und im beschriebenen Atemrhythmus. Halte fokussiert diese Herzatmung, denn diese Art synchronisiert umgehend das ganze Nervensystem deines Körpers.
- Nimm den weiten Raum hinter deinen Augen wahr, tauche ein in diesen endlosen Raum.
- Nun sprich in Gedanken deutlich und klar dein ausgewähltes Mantra. Einmal. Spüre hinein. Und lass es erneut in diesem weiten Raum ertönen und lausche seinem Klang nach. Nun

kannst du es wieder und wieder klingen lassen. Vielleicht taucht es als geschriebener Vers vor dir auf oder du hörst diesen klar und deutlich. Nimm die feine Schwingung jedes Wortes wahr... und nun fokussiere deine Aufmerksamkeit auf die Qualität. Tauche ein in dessen Klang, in dessen Vibration, in dessen Stimmung.

- Bewusst magst du den Klang wahrnehmen, seine Farbe, seine Bewegung, seine Gestik. Die Qualität wird sich dir auf die vielfältigste Weise offenbaren. Versenke dich darin und mehr und mehr wirst du selbst zu dieser Schwingungsqualität.

- Wenn du den Eindruck hast, dass die Übung beendet ist, dann richte deine Aufmerksamkeit wieder auf deinen Herzraum. Spüre nun die soeben erfahrene Qualität in diesem, die Vibration als Farbe, als Schwingung oder Bild, das sich dir in der Meditation gezeigt hat. Nimm dies bewusst in dir selbst wahr und lass diese Stimmung in deinen ganzen Körper fließen – an jeden Ort, in jede Zelle, in deine dich umhüllenden Felder.

- Achte nochmals bewusst auf deinen Atem und kehre zurück in den Raum, an den Ausgangsort der Meditation. Öffne die Augen und lass deinen Blick sanft umherschweifen. All das, was du siehst, wird nun von dieser neuen Schwingungsqualität berührt.

- Jetzt ist es Zeit, die Übung bewusst zu beenden und in deinen Alltag zurückzukehren.

Fühlen Sie sich aber auch frei, Ihre ganz eigene Art zu entwickeln, diese Mantra-Meditation durchzuführen und das Arbeitshandbuch zu nutzen. Dazu gehört auch, wie oft und wie lange Sie ein jeweiliges Mantra oder überhaupt eine Meditation machen möchten.

Sie können nichts „falsch" machen.

Die erweiterte Variante

Als Quelle für die Meditation können Sie sich auch aus den Mantras, d.h. den verschiedenen Klängen, ein eigenes Werk komponieren.

Bilden Sie dazu Worte, über die Sie meditieren möchten. Liebe, Gott, Universum ... Den Möglichkeiten sind keine Grenzen gesetzt. Ja, ganze Sätze verbergen sich in diesem Alphabet der Liebe. Probieren Sie es z.B. mit ICH BIN aus. Eine außergewöhnliche Meditation erwartet Sie, mit tiefgründigen und essentiellen Erfahrungen.

Damit Sie auch durch diesen etwas umfangreicheren Prozess der Meditation leicht und mühelos hindurchgehen, bereiten Sie sich zuerst vor. Notieren Sie zu diesem Zweck das Wort oder den möglichst kurzen Satz, weisen Sie für die Übungs- bzw. Mantra-Abfolge nun entsprechend dem Alphabet der Liebe jedem Buchstaben ein Mantra zu. Wenn Sie mit den Qualitäten schon etwas vertraut sind, dann können Sie die Eigenschaft selbst als Inhalt wählen.

I – Integrität	B – Beständigkeit
C – Caritas	I – Integrität
H – Humor	N – Nachsichtigkeit

Während der Übung ist es natürlich möglich, sich auf dem Blatt neu Orientierung zu verschaffen. Erwarten Sie nicht von sich, die Abfolge auswendig zu lernen und sie in der Meditation folgerichtig abzurufen. Die Übung soll und darf keine Belastung oder Anstrengung sein! Der Zusammenklang und die Harmonie, die durch den Mantra-Verlauf entstehen, vervielfältigen die Vibration und die Qualität. Vielstimmig erklingen nun die Attribute der Liebe und schwingen weiter in Ihnen.

Der Weg der Liebe

Es ist leicht, die Liebe zu leben, denn sie zeigt sich in jedem Augenblick. In jedem Bild, das unser Auge erfasst, wird sie sichtbar. Jeder Gedanke und jedes Gefühl können sich mit Liebe durchdringen, uns Liebe erfahren lassen. Doch Liebe ist nicht nur ein Gefühl, das Sie anderen Menschen oder Ihnen selbst gegenüber haben können, - zur Welt, zur Natur, zu allen Wesen, zum Leben, zur Schöpferkraft. Viel mehr und darüber hinaus ist Liebe die Essenz von allem, was ist, das alles Durchdringende, das alles Schaffende. Wenn wir die Liebe leben, erfahren, in ihr leben wollen, dann bedeutet dies die tiefste Verbundenheit mit dem Schöpferischen. So erfahren wir, dass alles in unfassbarer Fülle vorhanden und von göttlicher Natur ist. Gerade aus dieser Erfahrung heraus ist es umso wichtiger – wollen wir uns im Folgenden mit dem Alphabet der Liebe befassen – einmal die verschiedenen Aspekte der Liebe zu differenzieren. Gerade weil unter dem Begriff Liebe so viel gebündelt ist, wir oft verwirrt diesen unterschiedlichen Definitionen und Erfahrungen gegenüberstehen, möchte ich von Dimensionen der Liebe sprechen, die es zu ordnen und zu unterscheiden gilt.

Hier mag die Ordnung der Liebe der Philosophen aufschlussreich sein und zu verstehen helfen. Grundlegend wird zwischen „Sexus", „Eros", „Philia" und „Agape" unterschieden. „Sexus" ist die „körperliche Liebe", die den Aspekt des Einsseins der Körper, der Wiedervereinigung und Einheit in sich trägt und die Lust am Dasein zum Ausdruck bringt. Bei „Eros" tauchen wir ein in die „seelisch-sinnliche Liebe", in der sich die innere Schönheit des Menschen entfalten und in der seelischen Vereinigung zeigen kann. Die Liebe der Freundschaft, des Vertrauens, der Geschwisterliebe, der Liebe zu den Kindern, den Eltern trägt die Ebene der „Philia", die die zwischenmenschlichen Beziehungsaspekte in all ihrer Vielfältigkeit enthüllt. Sie ist die „seelisch-kommunikative

Liebe" und ihre verschiedenartigen Kräfte bilden das Fundament zu gemeinsamer Entwicklung und tiefen Verbindungen. Die „spirituelle Liebe" „Agape" schöpft ihre Energie aus dem Wissen um die Quelle und der direkten Verbundenheit mit der schöpferischen Urkraft. In diesem Bewusstsein ist diese Liebe immer vollkommen, ist bedingungslose Liebe an sich.

All diese Dimensionen können sich in unserem Leben ausdrücken und jeden Moment unseres Seins beleuchten.

Die Liebe in Ihrem Leben noch tiefer zu verankern und mit Anheben Ihrer Schwingung als Meister*in der Liebe erkennbar werden heißt, die Wunder dieses Lebens zu begreifen. Um diese tiefe Liebe zu erfahren und zu leben, bedarf es der Tugenden, die wie Instrumente sind, die erst in ihrer Einheit und konkretem Ausdruck zum Klingen kommen. Dunkles verschwindet aus Ihrem Leben und Ihren Beziehungen. Sie entfalten Ihre Persönlichkeit zum Guten und werden mehr und mehr der Mensch, der Sie in Wahrheit sind. Sie werden zu Liebe. Dies ist ein Weg, der keineswegs von heute auf morgen am Ziel endet, denn Sie gehen ihn von Augenblick zu Augenblick und verwirklichen so das Ankommen in jedem Moment.

Das Alphabet der Liebe bietet Ihnen in diesem Arbeitsbuch mit den Tugenden und Qualitäten die Wegweiser, die Sie den Weg zu sich und in die Liebe finden lassen. Alles ist möglich.

Die Attribute der Liebe

Folgend finden Sie die 33 Attribute und Mantras, die den Weg der Liebe initiieren. Geordnet stehen sie im Alphabet der Liebe. Seien Sie nicht verwirrt, denn in den eingangs geschriebenen Texten habe ich von Attributen, dann wieder von Eigenschaften, Qualitäten und schlussendlich von Tugenden gesprochen. Diese Bezeichnungen sind hier in ihrer Grundbedeutung ein und dasselbe. Mit der Absicht, den Weg der Liebe zu beschreiten, werden Sie sich die Qualitäten erwerben und entfalten. Ihr freier Wille sich weiterzuentwickeln, Ihre inneren Potenziale und Qualitäten zum Gedeihen und Wachsen zu bringen, ist Ihre Motivation. Alleine dieses Streben ist eine Tugend für sich.

Die kurzen Charakterisierungen der Tugenden, die jedem Mantra folgen, sollen nur Anregung sein, diesem vertieft zu begegnen. Das Tugendpotenzial ist in jedem von uns verankert und Sie werden Ihr ureigenes Gefühl, Verständnis und Erleben von jedem einzelnen Attribut entwickeln, so wie es eben in Ihnen angelegt ist. Zudem ist die Art, wie Sie eine Tugend in Ihrem Leben zum Ausdruck bringen sehr individuell, so wie es ebenso einzigartig ist, wie Sie Ihre Fähigkeiten entwickeln und Potenziale aktivieren. Liebe zum Ausdruck zu bringen und zu bekommen ist nicht von äußeren Umständen abhängig, denn dies steht in unserer Macht. Diese Energie und diese Dynamik sind in unserem Wesen verankert, wir können die in uns schlummernden Potenziale der Tugenden erwecken. Durch das Lernen und Üben werden wir der Mensch, als der wir gedacht sind. Wir gewöhnen uns diese Tugend an und nähern uns unserem höheren Bild. Um die eine müssen wir uns etwas mehr bemühen, eine andere zu entwickeln fällt uns leicht. Jede und jeder kann dies erreichen.

Und dies darf ein unbeschwerter Weg sein! In den folgenden Mantras erhalten Sie eine Möglichkeit, die Qualitäten vertieft wahrzunehmen.

Sie lernen sie, indem Sie sie tun. Ganz einfach. Anfänglich üben Sie sie noch bewusst, mit der Zeit lebt sie sich einfach. Wagen Sie den Schritt in die Meisterschaft der Liebe hineinzuwachsen. Sie ändern nicht nur Ihr Leben, sondern Sie leben diese Änderung.

Die 33 Attribute und Mantras

1. Andacht
   Andacht offenbart Gegenwärtigkeit

2. Begeisterung
   Begeisterung stiftet unmittelbar Inspiration

3. Beständigkeit
   Beständigkeit kultiviert innere Stabilität

4. Caritas
   In Nächstenliebe entfaltet sich die Schöpfung

5. Dankbarkeit
   Dankbarkeit schenkt die Fülle des Augenblicks

6. Demut
   Demut erfasst die Erhabenheit der Schöpferkraft

7. Ehrfurcht
   Ehrfurcht erfüllt die Liebe

8. Ehrlichkeit
   Das wahre Selbst wirkt Ehrlichkeit

9. Friedfertigkeit
   Innerer Frieden begründet Weltenfrieden

10. Fülle
    Unermessliche Fülle besteht

11. Gerechtigkeit
    Gerechtigkeit ist Wille zu Ausgleich

12. Gnade
Gnade ist das Geschenk

13. Großmut
Großmut erschließt die Weite des Lebens

14. Humor
Humor versöhnt mit der Welt

15. Integrität
Ich stehe zu mir – Ich bin

16. Jubel
Jubel lebt Glückseligkeit

17. Klarheit
In Klarheit ruhen Geist und Liebe

18. Loyalität
Loyalität bindet Treue und Wahrheit

19. Mäßigung
Mäßigung stiftet innere Freiheit

20. Nachsichtigkeit
Nachsichtigkeit bildet die Brücke zu Liebe

21. Offenherzigkeit
Offenherzigkeit stimmt das Herz in Liebe

22. Präsenz
In Präsenz leuchtet wahre Wirklichkeit

23. Quellbewusstsein
Quellbewusstsein erwirkt schöpferische Kraft

24. Reinheit
Reinheit ist der Kristall des Göttlichen

25. Segenskraft
Segenskraft empfängt Liebe

26. Toleranz
Toleranz führt zu Frieden und Liebe

27. Unabhängigkeit
Verantwortung in Freiheit gründet Unabhängigkeit

28. Vergebung
Vergebung öffnet Wege zu Heilung und Transformation

29. Würde
In Würde ruht Erhabenheit der Schöpfung

30. Xenophilie
Xenophilie weitet Leben

31. Yin und Yang
Yin-Yang tanzt im Prinzip des Rhythmus

32. Zielstrebigkeit
Zielstrebigkeit erhebt Schaffensfreude

33. Zufriedenheit
In Zufriedenheit lebt Ruhe und Frieden

Von
A bis Z

Andacht

Andacht offenbart Gegenwärtigkeit

Die Fähigkeit, Andacht zu halten, erweist sich als ein fundierter Wegbegleiter in unserer spirituellen Entwicklung, im Besonderen, wenn wir sie im erweiterten Sinn einer geistigen Versenkung und des Gebetes hinaus verstehen und sie in unser Alltagsleben integrieren.

Wenn wir also Andacht als Tugend aufgreifen, so ist hier die Eigenschaft gemeint, in der Haltung der Andacht die Gedanken sammeln zu können und die Aufmerksamkeit zu richten. In der Andacht gebieten wir gleichsam dem Wirrwarr der Gedankensprünge und –fetzen, die unser Handeln meist unbewusst begleiten, unmittelbar Einhalt. Auf was wir unsere Aufmerksamkeit richten, ist hierbei ausgesprochen entscheidend: Es ist immer genau das, was wir gerade tun – wir geben uns gleichermaßen diesem hin.
Andacht bedeutet also nicht nur eine religiöse Versenkung, sondern eine kontinuierliche Konzentration der Gedanken in jedem Moment. Dies heißt, mit Andacht Dinge tun, ob es die Hausarbeit, die Arbeit in der Firma, ein Spaziergang, die Begegnung mit Freunden oder eine Ruhepause ist. Wahrzunehmen, was ich gerade erlebe, ist bereits Andacht. Sich vollständig nur einer einzigen Aufgabe, einem Tun hinzugeben, kann so in jedem Augenblick zu unserem ganz persönlichen Gottesdienst oder Gebet werden.

Erst wenn wir in einer gewissen Andacht leben, werden wir die leisen Töne hören, die Botschaften hinter jedem Ereignis, das Wunderbare in allen Wesen und Dingen dieser Welt erfassen, die Liebe erkennen können. Wir beginnen auf einer höheren Ebene zu handeln und zu wirken. In einer andachtsvollen Haltung lassen wir uns tief auf uns selbst und die Menschen, ja, überhaupt mit allem in der Welt ein. Nun ergreifen wir auch die Möglichkeit, in Andacht unmittelbar das Gegenwärtige zu erfahren.

Begeisterung

Begeisterung spendet unmittelbar Inspiration

„Begeisterung ist darum so schätzbar, weil sie der Seele die Kraft einflößt, ihre schönsten Anstrengungen zu machen", sagt Samuel Smiles. Die Energie, die in diesem Sinne herangezogen wird, ist Inspiration, dergleichen Motivation und bedeutet, mit diesen Triebfedern die Sterne ergreifen zu können. Begeisterung für das Leben zu finden oder sie wieder zu enthüllen bringt Glückseligkeit – sie kann ein kontinuierlicher Seelenzustand werden, der wie ein Lebenselixier wirkt. Begeistert sein verspricht ein Erleben größter Lebensfreude, bedeutet intensives Interesse, ein stimmiges und freudiges Ja zu etwas, das man entschieden hat zu tun.

Wie vermögen wir es also, Begeisterung in unser Leben zu holen? Vielleicht entdecken wir sogar, dass die Bereitschaft dazu schon längst in uns ist, wir sie schon immer in uns tragen – es gilt die Begeisterung nur zu entfachen. Dazu genügt ein Funke, der auf uns überspringt vom Feuer des Neuen, dessen, das wir entdecken wollen. So richtet sich die Begeisterung auf etwas aus, das wir nun mit Leichtigkeit und Schaffenskraft erkunden können. Wir werden inspiriert, beseelt, *spirit* zieht ein, d.h. der Geist, das Leben, die Seele. Das ist im wahren Sinne des Wortes Be*geist*erung.

Entscheiden wir uns, diese Begeisterung zu erwecken, werden die Funken in mannigfaltigen Situationen ein Feuer in uns entfachen, auf dass wir wieder für etwas mit Körper, Geist und Seele glühen können. Lasst uns mit den Möglichkeiten spielen und die Begeisterungskraft wird uns tragen!

Beständigkeit

Beständigkeit kultiviert innere Stabilität

Beständigkeit ist scheinbar eine alte Tugend, die heute kaum noch Beachtung findet. Wahrscheinlich schwingt die Angst darin mit, starr und stur zu wirken, und wir wollen uns doch bewegen, Altes hinter uns lassen. Sie als Qualität zu erfassen, setzt Stehvermögen voraus, einen inneren festen Stand, was bedeutet zu be*stehen* – dauerhaft, ständig.

Unsere Standfestigkeit stellen wir unter Beweis, indem wir ohne zu hadern eine Herausforderung meistern, ohne, dass wir uns beirren lassen oder den Mut verlieren, gar aufgeben. Eine sehr alltagstaugliche Qualität, denn wir entwickeln mit ihr eine gewisse Resilienz gegenüber Widrigkeiten, ja, wir erobern uns mit dieser Kraft der Eigenschaft ein gelingendes Leben. Wohl werden wir widerstandsfähiger gegenüber Versuchungen, Über- und Herausforderungen. Wir bleiben uns selber treu, bleiben in unserer Mitte, unabhängig, was uns widerfährt. Unsere seelische Stabilität gibt uns Sicherheit, beharrlich den einmal eingeschlagenen Weg mutig zu gehen und einer Bestimmung oder einem Entschluss stetig zu folgen.

Wenn wir dieses Attribut z.B. im Üben der Mantras kultivieren, wird es mehr und mehr im Alltag auftauchen. Die Weite der Beständigkeit in der Liebe zu entdecken wird ein großes Geschenk werden, an uns selbst und andere. Wir gewinnen Selbstvertrauen, aber auch das Vertrauen der anderen Menschen, denn wer ausdauernd und stetig ein Ziel verfolgt, ist zuverlässig.

Aus Standhaftigkeit erwächst eine wertvolle Kompetenz, mit der Beständigkeit als Tugend ihren Platz findet.

Caritas

Nächstenliebe

In Nächstenliebe entfaltet sich die Schöpfung

Wer seinen Mitmenschen, seinen Nächsten bedingungslos zugewandt ist und mitfühlend begegnet, praktiziert Nächstenliebe. Dabei ist nicht ausschließlich ein Gefühl der Liebe gemeint, sondern ebenso die aktive Hinwendung zum Nächsten, voller Wertschätzung und Menschlichkeit. Das bewusste Ja zum Nächsten macht diese Liebe aus. Ein Geheimnis schwingt in der Nächstenliebe: Immer, wenn wir Nächstenliebe schenken, da vergrößert sie unabdingbar auch die Liebe zu uns selbst. Nicolas Chamfort fasst diesen Gedanken zusammen: „Wenn du deinen Nächsten lieben sollst wie dich selbst, dann ist es nur angemessen, dass du dich selbst liebst wie deinen Nächsten."

Wenn wir Selbstliebe praktizieren, sind wir auch gleichermaßen in der Ermächtigung, Nächstenliebe zu schenken. Selbst- und Nächstenliebe bedingen sich beide und das heißt, in der unmittelbaren Begegnung mit den Menschen erhöht die gelebte Nächstenliebe die Liebe zu sich selbst, denn Selbstliebe schafft den Raum, die Liebe zum Nächsten zu leben, ohne sich darauf ausrichten zu müssen.

Geliebt zu werden und zu lieben sind Grundbedürfnisse des Menschen. Wir können sie uns selbst wie den Nächsten unbegrenzt verschenken, sie vermehrt sich in jedem Fall in beide Richtungen.
Der oder das Nächste, das unsere Liebe erfährt, kann ebenso die Welt, das Leben, die universelle Kraft sein. Das Bewusstsein, von der Schöpferkraft geliebt zu werden und deren Liebe zu erfahren und anzunehmen, ist ebenso Caritas, wie unsere Liebe in einer liebevollen und respektvollen Haltung der Schöpfung gegenüber zu zeigen.

Dankbarkeit

Dankbarkeit schenkt die Fülle des Augenblicks

Dankbarkeit geht weit über Wertschätzung hinaus, ist Ausdruck von Anerkennung und einem wunderbaren Gefühl, das Empfangene als ein Geschenk erhalten zu haben. Wir können in dieser Haltung die Wohltat bedingungslos annehmen. Nicht einfach nur Danke sagen, wie wir es als Kinder beigebracht bekommen haben, zeichnet diese Qualität aus. Eine besondere Tugend ist die Dankbarkeit und diese zeugt – hat man diese errungen, von einem starken und hohen Charakter.

Fangen wir einen Tag, eine Arbeit, eine Meditation oder ein Unternehmen mit einer Danksagung an, erhebt es uns gleichsam. Die Haltung der Dankbarkeit zaubert ein Glücksgefühl und schafft die Bewusstheit, reich beschenkt zu sein, in unser Herz. Unsere Augen beginnen zu strahlen – eine Liebeserklärung an die Welt, an die Menschen, an die Schöpferkraft. Dankbarkeit selbst ist die Beglaubigung unseres Glücks und unseres Wohlgefühls. Wir halten einen Moment inne, nehmen die Freude, den Augenblick wahr und werden uns all der Geschenke bewusst, die wir schon haben!

Alles und jedes können wir mit Dankbarkeit bedenken, wenn wir mit Liebe und Wohlwollen darauf schauen. Wir sagen DANKE aus tiefem Herzen – zu einem Menschen, der uns etwas Gutes tut, zu dem Leben, zu der Welt, zu der Schöpferkraft, die uns all das Wunderbare täglich schenkt. Auch uns selbst gegenüber können und „müssen" wir unserer Dankbarkeit Ausdruck verleihen.

Wenn wir das Wunderbare sehen, es dankbar annehmen, erst dann ist das Glück in unserem Herzen wirklich präsent. Mit Dankbarkeit geben wir uns zu erkennen und schenken uns selbst unendlich viele Gelegenheiten, um glücklich zu sein.
Dankbarkeit kann zu unserer stärksten spirituellen Praxis werden.

Demut

Demut erfasst die Erhabenheit der Schöpferkraft

Demut ist die Hingebung an ein Höheres und die Akzeptanz, dass dieses Höhere wirkt. Sie bezeichnet dabei aber nicht nur eine religiöse Haltung gegenüber einem Schöpfer, den Glauben an diese allumfassende Kraft, sie hat vielmehr auch als Eigenschaft mit der Einstellung dem Menschen und der Welt gegenüber zu tun. Uneingeschränkt birgt jeder von uns ein göttliches Urpotenzial, tragen wir den göttlichen Funken in uns. Damit sind wir Teil eines Ganzen und als solcher auch verantwortlich, uns dessen bewusst zu werden und uns in dieses einzubringen. Unsere Gaben der Welt und dem Leben darzureichen ist gleichviel ein Dienen. Es bedeutet außerordentliche Führungskraft erringen – für unser Leben, Beruf und Alltag, dem Wohl, dem Leben, dem Höheren zu dienen und sich dabei der eigenen Größe bewusst zu sein, dieser treu zu bleiben.

Wir können auch im Kleinsten das Große erkennen, und in der Haltung der Demut schauen wir zu diesem auf, ohne es be- oder verurteilen zu müssen. Dies ist die Fähigkeit, die wir „Demut übend" lernen. Der demütige Mensch bedarf zwar der Einsicht, als Mensch fehlbar zu sein, aber ebenso des Bewusstseins, den göttlichen Funken in jedem zu erkennen und anzuerkennen. Sehen wir es nicht, beginnen wir uns hochmütig zu erheben, werden überheblich. Wir entfalten Demut übend die Gesinnung eines Dienenden.

Nicht alles liegt in unseren Händen, wir brauchen andere, haben nicht die Macht über alles, können nicht alles alleine bewältigen. In Demut können wir die Wirklichkeit annehmen. Ohne uns von Hindernissen oder Widrigkeiten schrecken zu lassen, erringen wir ein Denken und Handeln in der Art, wie es unserem wahren Wesen entspricht. Auch den persönlichen Vorteil brauchen wir nicht zu erzwingen, denn es ist für uns gesorgt, alleine durch die Anerkennung der Kraft eines Höheren – im Geistigen wie in anderen Menschen. Wir sind nie allein: Das lehrt uns die Demut.

Ehrfurcht

Ehrfurcht erfüllt die Liebe

Ehrfurcht geht keineswegs aus der Furcht hervor, wie es uns die schnelle Gedankenverbindung vorgaukelt. Sie entspringt vielmehr immer der Liebe: In Ehrfurcht verneigen wir uns, weil wir tief ergriffen sind und ein besonders intensives Berührtsein empfinden. Dies ist der ursprüngliche Gehalt dieser Qualität. Ehrfurcht geht weit über die Bedeutung von Respekt hinaus, ist vielmehr eine Steigerung dessen, denn immer schwingt in dieser auch ein tiefes Gefühl von Wertschätzung und Hochachtung mit. Spüren wir die Präsenz von etwas Höherem, Größerem, erfasst uns die Ehrfurcht. Wir lassen uns gleichsam vom Wunder des Lebens ergreifen und können in der Haltung der Ehrfurcht tiefe spirituelle Erfahrungen machen.

Wem oder was wir uns in Ehrfurcht zuwenden, zollen wir Respekt, bringen wir Liebe entgegen und anerkennen dessen Erhabenheit. Ehrfurcht vor dem Leben, der Schöpferkraft, der Großartigkeit des Menschen und aller Wesen, der Welt, auch uns selbst gegenüber lässt uns wieder staunen. Wir erweisen in der ehrfurchtsvollen Haltung dem Großen die Ehre – tauchen ein in eine seelische Verfassung stiller Würde und Würdigung. Wenn wir der wunderbaren Seele eines Menschen begegnen, das Göttliche dahinter wahrnehmen, bewegt uns dies zutiefst. Es kann ebenso ein wunderbares Naturerlebnis, ein Sonnenaufgang, der Duft einer Rose sein, was uns in Ehrfurcht verweilen lässt. Immer dann, wenn wir das Göttliche spüren, auch in einer Meditation, vermag es uns tief zu ergreifen. Sind wir in Liebe darauf ausgerichtet, erfasst uns gar eine tiefe Feierlichkeit. Sie lässt uns erahnen, welche Wunder die Welt für uns bereithält.
Üben wir uns in dieser Tugend, erfahren wir, wer wir in Wahrheit sind, denn Liebe ist voller Ehrfurcht.

Ehrlichkeit

Das wahre Selbst wirkt Ehrlichkeit

Ehrlichkeit ist die Grundlage für Beziehungen, die von Vertrauen getragen sind, zu anderen Menschen, zu uns selbst, zur Schöpferkraft. Und je mehr wir von diesem Vertrauen haben, um mehr erlauben wir uns, ehrlich zu sein. Dies gilt sowohl für das gemeinsame Miteinander mit anderen im Beruf, im Privatleben als auch für die Beziehung zu uns selbst. Um ehrlich zu sein, ja sein zu können, bedarf es des Mutes, starker Reflexionsfähigkeit und Selbstdisziplin. Geht es doch bei dieser Ehrlichkeit auch neben der Erkenntnis um eine Korrektur und Konsequenz, mit dem Erkannten aufrichtig umzugehen. Dies bedeutet Ehrlichkeit in Wort und Tat.

Anderen und sich selbst die Unwahrheit zu sagen, heißt sich selbst zu schwächen. Wenn wir unehrlich sind, müssen wir stets die richtige und gleichzeitig die falsche Version „im Auge behalten". Unsere Seele weiß, was wahr ist, sie durchschaut die Lüge, die wir manchmal sogar so lange formulieren, bis wir schlussendlich daran zu glauben meinen. Dennoch entstehen konkurrierende Gedanken- und Gefühlsstränge in uns, die unser Handeln färben, wenn nicht gar manipulieren. Zudem ist Unehrlichkeit ein recht anstrengendes Unternehmen, das uns von der Einfachheit unserer Welt wegführt in die Mehrgleisigkeit. Es erfordert einen enormen Kraftaufwand, um einerseits Ordnung in diese Gedanken und Gefühle zu bekommen, die erdachten „Lügengebilde" zu rechtfertigen und aufrechtzuerhalten, um anderseits immer wieder eins zu werden mit uns selbst. Wir verlieren das Vertrauen in unsere eigenen Gefühle, in die Wahrheit unserer Seele, verirren uns in den Gedanken, denn wir bauen eine Maske, eine unwahre Idee von uns auf.

Wieder wir selbst zu sein, das wahre Selbst zu erfassen, dies in jedem Moment ausgedrückt zu wissen, ist das Geschenk, das wir mit dem konsequenten Einhalten von Ehrlichkeit erhalten. Wir erlangen ein Stück Weisheit, denn das Wahre in uns wird gehört und bringt sich zum Ausdruck. Selbstvertrauen, Vertrauen ins Leben, in die Menschen und Gottvertrauen entfaltet sich einfach und klar.

Die Qualität der Ehrlichkeit ist ein Sprungbrett zu unserer wahren Identität und bedeutet, wir selbst zu bleiben und „Ich Bin" zu werden.

Friedfertigkeit

Innerer Frieden begründet Weltenfrieden

Eine tiefe Sehnsucht des Menschen ist die nach Frieden. Friedfertigkeit als Attribut zu leben, bestärkt uns, Frieden im Inneren wie im Äußeren immer wieder neu zu erschaffen, um von diesem erfüllt und mit ihm vertraut zu werden. Dies beinhaltet schon Fähigkeit, Wunsch und zugleich Bedürfnis, in Frieden mit sich, den Menschen, Gott und der Welt zu sein. Friedfertigkeit beginnt also in unserem Herzen, in unserem Geist. Mahatma Gandhi sagt: „Es gibt keinen Weg zum Frieden, denn Frieden ist der Weg."

Wie wir Friedfertigkeit zum Ausdruck bringen können, ist in jedem Moment anders, z.B. liebevoll, mitfühlend, großzügig, urteilsfrei. Unsere Seele weiß um Frieden, es ist ihre natürliche Beschaffenheit, doch müssen wir diesen immer wieder zulassen – in stetem Bestreben und Wollen. In Versenkung können wir manchmal diesen tiefen Frieden wahrnehmen und in unseren Alltag hineintragen. Aus diesem fließen Kraft und Inspiration in unser Leben. Nur wenn wir in der Tiefe unseres Herzens uns selbst erkennen, dort den Frieden erfahren, kann uns nichts erschüttern. Nichts und niemand kann uns dann davon abhalten, denn diese Kraft des Friedens wird aus uns heraus strahlen.

Frieden in uns finden, Harmonie in unsre Umgebung hineintragen, Gedanken des Friedens in die Welt senden – mit dieser Fertigkeit verändern wir die Welt zum Guten. Für uns selbst wird sich dies im friedfertigen Denken, Fühlen und Handeln als spirituelle Kraft erweisen und inneren und äußeren Frieden stiften, erhalten und erzeugen, im Kleinen wie im Großen.

Füllebewusstsein

Unermessliche Fülle besteht

Statt ein Bewusstsein von Fülle zu erfahren, stecken wir meist in einem Mangelbewusstsein fest, das uns hindert, Reichtum zu entfachen, und wir fühlen uns unvermögend, mittellos oder gar arm. Dies bezieht sich nicht nur auf das Materielle wie Besitz, Geld, Luxus, sondern auch auf das Immaterielle wie Zeit, Möglichkeiten, Chancen, Liebe, Freundschaften usw. Von allem zu wenig? Wie viel müssten wir besitzen, um uns in der Teilhabe von Fülle zu empfinden? Wann wir uns als reich empfinden, ist daher von der Prägung und der Ausprägung eines Mangel- oder Füllebewusstseins abhängig.

Es ist ein Umdenken und Reflektieren vonnöten und ausschlaggebend, auf was unsere Gedanken fokussiert sind, um ein Füllebewusstsein zu entwickeln und aus diesem heraus unser Leben zu gestalten. Dazu konzentrieren wir uns auf das, was wir haben, was ist, an materiellen wie an immateriellen Gütern, lassen die Gedanken daran los, an was es uns anscheinend mangelt und fehlt. Dies ist der entscheidende Moment den Schalter von Mangel auf Fülle zu drehen.

Mit dem Blick auf das Mögliche und der absoluten Gewissheit, dass alles da ist für jeden einzelnen von uns, öffnen wir der Fülle und Erfüllung die Tore und laden sie in unser Leben ein. Die Schöpfung ist grenzenlos, ja, wir werden uns des unendlichen Reichtums der gesamten Schöpfung bewusst – einer Quantität, die für jeden alles zur Verfügung stellt. Es ist unser Geburtsrecht, in Fülle zu leben, und diese Lebenshaltung ist unsere einzige Wirklichkeit.

Sehr oft sogar ist in unserer Vorstellung materieller Reichtum und finanzieller Wohlstand unvereinbar mit geistiger Entwicklung. Doch ist es nicht wunderbar, dass auch Geld, Zeit, Wohlstand und Fülle es uns möglich machen, zu geben, anderen zu helfen, das Leben mit all seinen Wundern zu genießen? Das Bewusstsein, allgegenwärtig von Fülle umgeben zu sein, bedeutet, diese Fülle zu erkennen und anzuerkennen und sie in unserem Leben zuzulassen. Immer haben wir die freie Wahl, uns auf das Füllebewusstsein einzuschwingen. Mit achtsamen Gedanken alles anzuschauen, was wir haben und ist, Ersehntes in die eigene Wirklichkeit zu bringen,- damit erlangen wir Erfüllung. Die Gewissheit, in der Fülle der Schöpfung zu **sein,** ist der Kreationsprozess von innerer Fülle und äußerem Reichtum.

Gerechtigkeit

Gerechtigkeit ist Wille zu Ausgleich

„Gerechtigkeit" ist ein Wort, das aus dem Mittelhochdeutschen für „aufrecht, gerade, rein sein" hergeleitet wird. Ob wir uns für Gerechtigkeit einsetzen oder gerecht handeln und wirken, wir streben dabei immer ein angemessenes Gleichgewicht an. Die Göttin Justitia trägt eine Waage in der Hand. Dort, wo Gerechtigkeit herrscht, ist ein Zustand von Balance und fairem Ausgleich von Interessen gewährleistet, so dass ein gerechtes Miteinander entstehen kann. Aufrecht vermag ein jeder in diesem System bestehen, rein bleiben und sein – stimmig sich selbst und anderen gegenüber. Wir sprechen hier von einem grundsätzlichen Gerechtigkeitsempfinden, der Möglichkeit, eine gerechte Gesinnung zu entwickeln. Unser Gerechtigkeitssinn wird von den eigenen Werten geprägt und somit Gerechtigkeit zu einer aktiven Tugend, genau in dem Moment, in dem wir sie umsetzen und verwirklichen.

Das, was als gerecht beschrieben wird, ist ebenso von Kultur und Gesellschaft geprägt und demnach von allgemein gültigen Gewichtungen, Wertevorstellungen und von bestehenden Gesetzen und Rechten abhängig. Absolute Gerechtigkeit gibt es nicht und auch Recht und Gesetz können nur für ein gewisses Maß an Gerechtigkeit sorgen. Dennoch ist Gerechtigkeit genau das, worauf wir ein Recht haben.
Aber in übertriebenem Maße darauf pochend bedeutet dies, dass wir womöglich im Namen der Gerechtigkeit Konfliktherde erschaffen, wenn wir Gerechtigkeit um jeden Preis anstreben. Prinzipienreiterei hat wenig mit Gerechtigkeitsempfinden und gerecht sein zu tun. Es bedarf des Einfühlungsvermögens, der Fähigkeit von Nachgiebigkeit, der Qualität der Demut, um eine reine, gerade und aufrichtige Haltung im Denken, Fühlen, Wollen und Handeln zu gewährleisten. Erst diese kultiviert den Gerechtigkeitssinn, der wiederum die Liebe bestärkt.

Gnade

Gnade ist das Geschenk

Gnade ist immer ein Geschenk. Niemand muss sie sich verdienen, sie kommt aus einem freien Herzen, ist die freiwillige Zuwendung, die wir von der Schöpferkraft, von einem Menschen erfahren oder die wir jemanden schenken – ohne Vorbedingung und Erwartung.

Im Bewusstsein der Gnade zu leben ist ein großes Geschenk, das wir uns selbst machen können. Mit der Tugend der Gnade erwerben wir eine wunderbare Eigenschaft. Durch diese erfahren wir die Nähe zur Schöpferkraft und zu dem Göttlichen in uns. Denn dadurch, dass wir gnädig sind und Gnade schenken, und dabei vielleicht sogar entgegen der gesellschaftlichen Norm handeln, zeigen wir, dass wir ein göttliches Leben uns selbst zugestehen. Eine verzeihende Güte allen Wesen zukommen zu lassen erfordert, nachsichtig und vergebend vermeintlichen Fehlern und Mängeln zu begegnen. Erst wenn wir uns so groß fühlen, um unseren göttlichen Funken in uns wahrzunehmen, können wir wahrhaft gnädig sein. Dies zu erfahren ermöglicht es uns, der Mensch zu werden und zu sein, als der wir gedacht sind.

Menschen, die eine herausragende Fähigkeit haben, die ihnen quasi in die Wiege gelegt wurde, bezeichnen wir als begnadet. Gnade weist in diesem Sinne alles, was wir in unserem Leben im besonderen Maße erreichen können, sogar alles, was wir sind, als Geschenk der Schöpferkraft aus.
In der Entwicklung der Tugend der Gnade wachsen wir spirituell, denn wir leben in der Gewissheit, dass wir immer gnädig Hilfe erfahren. Wir beginnen in diese zu vertrauen und lernen loszulassen. So werden wir mutig, uns um unsere geistige Entwicklung zu bemühen. Wir können in Gnade leben, begnadet werden, die Hilfe empfangen und schenken, um Großes zu erreichen.

Großmut

Großmut erschließt die Weite des Lebens

Wir kennen Kleinmütigkeit, die einem Menschen zu eigen, der sich ängstlich in beschränkten Bahnen bewegt und jegliche Risiken scheut. Großmut dagegen ist als Tugend heutzutage nicht mehr sehr gebräuchlich. Dabei verheißt sie eine Qualität, die eine ausgeprägte Persönlichkeit kennzeichnet, denn wir müssen voller Selbstvertrauen sein, um Großmut zu zeigen. Wer sich nicht an Kleinigkeiten stört, das Große weder scheut noch fürchtet, aus einem weiten Herzen handelt, nicht nachtragend ist und viel Verständnis für andere Menschen hat, wird sicher Großmut in sich kultiviert haben.

Der Fähigkeiten sind noch viele, die sich mit der Qualität des Großmutes entwickeln lassen. Zugrunde liegt ihr eine Seelengröße, die diese Haltung hervorzubringen vermag und die Mut nicht unter Beweis stellen muss, sondern diese Beherztheit bereits in sich trägt. Das bedeutet, die eigene Seele in ihrer Weite zu erschließen und sie auszudehnen. Indem wir unsere Vorstellungen und Gedanken weiten, Neues über das Alltägliche hinaus zulassen, beginnen wir uns zu erheben und uns zu unserer vollen und wahren Größe aufzurichten. Auch unsere Gefühle werden in diesem Prozess der Entwicklung von Großmut gleichermaßen „geadelt".

Dort, wo wir verstehen und begreifen, können wir großmütig sein und unsere wahre „Großartigkeit" zum Ausdruck bringen. Hier kann sich unsere innere Freiheit offenbaren, hier zeigen wir die Liebe zum Leben, zu den Menschen, zur Welt.

Humor

Humor versöhnt mit der Welt

Humor ist eine bereits im Menschen veranlagte Begabung, ein angeborenes Potenzial. So wird es uns auch nicht schwerfallen, unseren Sinn für Humor selbst zu kultivieren. Wie das Sprichwort sagt: „Humor ist, wenn man trotzdem lacht." Denn dem Humor zugrunde liegt eine gelassene Haltung gegenüber Schwierigkeiten und Missgeschicken und die Möglichkeit mit Optimismus und Lachen befreiende Leichtigkeit in das Leben zu lassen. Keineswegs aber hat Humor etwas mit Ironie, Sarkasmus, Spott oder Zynismus zu tun.

Wir alle können positives Denken einüben und so beginnen, eine wohlwollende Einstellung dem Leben gegenüber zu entwickeln, den Blick auf die Leichtigkeit und Unbeschwertheit hinter den Ereignissen zu richten. Mit Humor erheben wir uns über die Schwierigkeiten, wir schauen aus einer höheren Perspektive auf die Dinge, nehmen sie mit einer heiteren Gelassenheit wahr. So lösen wir uns aus der Ebene des Dramas, lernen in dieser Leichtigkeit aus dem Gedankenkarussell auszusteigen, das uns in Enge, in Angst, in Niedergeschlagenheit oder Depression festhält. Wir lachen, bauen all die Spannungen ab, die uns halten. Wir versöhnen uns gleichsam mit den Widrigkeiten und verwandeln diese aus einer neuen, positiven Interpretation heraus in leicht zu bewältigende Situationen – ohne Anstrengung. So hält uns Humor gesund.

Doch Humor ist ebenso eine wertvolle Qualität, die uns auf dem spirituellen Weg begleitet und weiterbringt. Hier werden wir gerade mit Humor aus der oft tiefen Identifikation mit unserem Ego erlöst. Denn schauen wir auf die Welt aus einer erweiterten Perspektive, die uns Begebenheiten, Menschen und auch uns selbst in einem weiten Zusammenhang erkennen lassen, so gewinnen wir Abstand von unseren Urteilen. Aus dieser höheren Warte heraus sehen wir mehr, und ein Lachen ermöglicht es uns, über uns selbst hinauszuwachsen, uns von Verhaftungen zu befreien. Wir öffnen mit Humor unser Herz und das der anderen Menschen.

Integrität

Ich stehe zu mir – Ich bin

Integrität drückt unsere Unversehrtheit, unsere Ganzheit aus, die Übereinstimmung von unseren eigenen Wertvorstellungen mit dem, was wir denken und tun: Sind wir eins mit unserem tiefsten menschlichen Wesen, sind wir integer. In der alltäglichen, realen Lebenspraxis Ideale zu leben, bildet den integren Charakter aus. In diesem offenbart sich die Reinheit unserer Seele, unsere Unbescholtenheit und Ehrlichkeit, wenn wir uns im ethischen Sinne an hohen Prinzipien orientieren und diesen folgen.

Auf diese Weise schenkt uns Integrität eine Form von Freiheit. Wir bleiben unseren inneren Werten in Wort und Tat treu und halten die Übereinstimmung von Innen und Außen, von Wollen und Handeln aufrecht. Dies bedingt auch, diese Werte zu erkennen, sie wertzuschätzen, denn wir wollen uns nicht bestechen oder verführen lassen, keinesfalls von diesen abweichen – uns gar verraten. So wirkt die Tugend der Integrität wie ein Schutz für die Reinheit unserer Seele.

Integrität ist schon alleine aus dem Grund kraftvoll, weil sie in unseren Beziehungen Vertrauen schafft. Wir verstellen uns nicht, sondern zeigen uns, wie wir sind, wir bleiben echt. Indem wir diese Qualität verinnerlichen und auf uns selbst richten, beginnen wir an der Vervollkommnung zu wirken. Integrität wird zu einer seelischen Tugend, die uns auf dem spirituellen Weg begleitet: Wir werden und bleiben ganz und unversehrt.

Jubel

Jubel lebt Glückseligkeit

Jubel ist die Offenbarung, die Äußerung eines großen und intensiven Glücks. Er wird ausgelöst durch ein positives Erleben, ein tiefes Gefühl der Freude, wunderbare Erinnerungen, Erfahrungen. Jubelnd verleihen wir dem Glücklichsein, der Erfüllung und Glückseligkeit Ausdruck. Unsere Seele, unser ganzer Körper bekundet dieses Glück.

In unterschiedlichster Weise teilen wir uns durch Jubel mit: Manche können lautstark in Jubel ausbrechen, andere enthüllen diesen ruhiger, strahlen, andere tanzen. Immer ist es eine adäquate Reaktion auf etwas Wunderbares. Manchmal müssen wir uns sogar diese Qualität ausdrücklich erlauben, denn die Eigenschaft, jubeln zu können, bezeugt offen, wie tief unsere Freude ist. Wir sollten uns Jubel zugestehen und die Bereitschaft aufbringen, dieser Glückseligkeit Ausdruck zu verleihen. Energie wird freigesetzt, die andere mit Freude „ansteckt".

Auf diese Weise vermag der Jubel das Gemüt aufzuhellen, wir erstarken in diesem Gefühl. Dieser Überschwang an Freude kann dem Leben, schönen Erinnerungen, erfolgreichen Unternehmungen, einfach dem Sein gelten. In der Bereitschaft, all das Wunderbare zu erkennen und zu erleben, gibt es als solches überall Gründe zu jubeln. Wir sehen das Licht, haben es erkannt und dies dürfen alle hören. Dies ist der höhere Sinn von Jubel, denn zurückhalten brauchen wir diese wertvolle Energie nicht. Jubilieren ist eine Eigenschaft, die uns Engel lehren.

Klarheit

In Klarheit ruhen Geist und Liebe

Klarheit im Denken, in unseren Vorstellungen, Wünschen, Erinnerungen, Klarheit über unser Verständnis der Realität und unser eigenes Tun oder Klarsicht auf unsere Gefühle – immer gewinnen wir Sicherheit und mit der entstehenden Transparenz auch Eindeutigkeit. Wir erlangen Klarheit durch Erkenntnis, wir verschaffen uns Übersicht, unterscheiden, verdeutlichen, vergegenwärtigen uns die jeweilige Thematik. In gleicher Weise zutreffend schafft Klarheit eine Ordnung, die uns wiederum Erkenntnis ermöglicht. Die Qualität der Klarheit zu kultivieren bedarf der Voraussetzungen der Offenheit, des möglichst urteilsfreien Wahrnehmens, des Ordnens, was uns gleichermaßen befähigt, entsprechend zu wirken.

All das, was klar ist, durchscheinend, zeigt auch seinen tiefen Grund, seine Beschaffenheit, sein Wesen. Wir durchschauen etwas und sind in der Lage, situationsbedingt angemessen zu entscheiden und zu handeln. Wird etwas transparent, gewinnen wir Vertrauen in dieses. All diese Erfahrungen finden ihre Wirksamkeit in unserem Alltagsleben wie auch Gültigkeit in unserer spirituellen Entwicklung. Otto von Bismarck hat dies mit den wunderbaren Worten „Aus dem Grund der Klarheit wächst das Gottvertrauen" zusammengefasst. Hier wird die Tugend der Klarheit als eine geistige Qualität erfasst, die Klarheit im Geist bedeutet, um das Schöpferische in seiner Tiefe zu erfahren. Nur aus der Klarheit heraus kann auch Intuition wachsen. Wir werden durchlässig, klar und fähig, sowohl eine transzendente Wirklichkeit wahrzunehmen wie auch den göttlichen Funken in der Tiefe unserer Seele zu erkennen.

Loyalität

Loyalität bindet Treue und Wahrheit

Unter Loyalität verstehen wir eine Verbundenheit gegenüber Menschen, in der Fairness, Aufrichtigkeit, Solidarität, ja, Wahrhaftigkeit eine besondere Kraft hat und wirkt. Wir sind loyal, weil wir es so wollen, weil wir zu jemandem oder zu etwas stehen und dafür auch einstehen – mit innerer Stärke und aus freiem Willen. Aus Loyalität verteidigen wir eine Idee nach außen oder schützen einen Menschen. Möglich wird dies nur, wenn gemeinsame Wertvorstellungen zugrunde liegen, wir die Auffassungen teilen, weil sie sich mit unseren eigenen Überzeugungen decken, mit diesen zumindest weitgehend übereinstimmen. Dazu müssen wir uns in andere einfühlen, deren Ziele und Werte wahrnehmen und erkennen, vielleicht sogar der ethischen Haltung bewusst werden – der eigenen wie die der anderen.

Auf einen loyalen Menschen kann man sich verlassen. Dies bedeutet, dass wir auch eine innere Stabilität zeigen, eine Treue, die auch Schwierigkeiten und Auseinandersetzungen dem gegenüber, dem wir loyal verbunden sind, aushält. Dann stellen wir unsere Loyalität unter Beweis, auch wenn wir dabei vielleicht sogar unsere eigenen Interessen zurückstecken müssen. Die Grenze von Loyalität ist allerdings dort zu setzen, wo wir unsere inneren Werte verraten würden, denn es gilt immer, die eigene Integrität zu wahren.

Loyalität bedeutet ebenso, all das auch kritisch zu benennen, was schiefläuft, das auszusprechen, was uns stört – dies ohne Schuldzuweisung und Wertung. Loyalität in ihrem tiefsten Sinne ist nämlich in jedem Fall von dem Bedürfnis motiviert, das Beste für die Sache oder den Menschen zu wollen. Dabei kann Loyalität nur unter der Voraussetzung von Gegenseitigkeit und Respekt in Beziehungen wirklich gelingen.

Mäßigung

Mäßigung stiftet innere Freiheit

Mäßigung ist eine Tugend, die heute kaum noch Zuspruch erhält, denn sie wird allzu oft mit Einschränkung und Beschneidung der persönlichen Freiheit gleichgesetzt. Sie bedeutet nicht Entsagung oder einem vorgeschriebenen „Mindestens oder Höchstens" folgen zu müssen, sondern ein rechtes Maß zu finden und zu halten. Dessen Umfang definieren wir selbst und es orientiert sich immer an unserer inneren Mitte.

Dazu müssen wir uns selbst kennen und erkennen, es bedarf der gründlichen Reflexion all dessen, was wir uns wünschen, was wir brauchen, dessen, was wir meinen zu benötigen. Wir entwickeln eine Fähigkeit, die uns davon abhält, in Extreme zu verfallen – im Handeln wie im Emotionalen.

Dabei werden wir feststellen, dass wir mehr und mehr Herrschaft über uns gewinnen. Und hier beginnt die innere Freiheit, denn wir lassen uns keineswegs mehr vom grenzenlosen und ungezügelten Konsum von allem Möglichen beherrschen, in die Maßlosigkeit treiben. Ebenso nicht in das Extrem der Askese, der völligen Entsagung. Wir bescheiden uns, lernen, uns auf das zu besinnen, was wir wirklich wollen, und finden einen Weg, diese Mitte zu halten – auch seelisch.

Wir handeln und nehmen besonnen auf. Dies heißt, wir entwickeln eine innere Bescheidenheit, die uns unabhängig macht. Wenn uns bewusst ist, dass die Schöpfung alles zur Verfügung stellt und schenkt, was zu unserem Höchsten und Besten ist, wählen wir auch nur das aus, was zu unserem Glück beiträgt. Dies ist das Maß, die Menge, die Qualität, die unser Leben tatsächlich bereichert, die uns wahrhaft erfüllt. Auf diese Weise wird unser Leben wie von selbst bescheidener, einfacher, unser Leben ver*einfach*t sich. Wir lernen zu genießen, werden frei, das wertzuschätzen, was wir haben.

Die Erfahrung, ja die Erkenntnis, alles zu haben, was wir brauchen, schenkt uns innere Freiheit. So offenbart die Tugend der Mäßigung tiefe Zufriedenheit und Lebensglück als auch die Möglichkeit, unsere wahren Bedürfnisse zu erkennen und im rechten Maße zu erfüllen.

Nachsichtigkeit

Nachsichtigkeit bildet die Brücke zu Liebe

Nachsichtigkeit ist ein Attribut, von Mitgefühl und Großherzigkeit geprägt, das uns, zunächst allgemein ausgedrückt, Fehler, Schwächen, Misserfolge verzeihen lässt.

Wir alle werden im Einüben und Erlernen von Fähigkeiten, Qualitäten oder Fertigkeiten wahrscheinlich auch Schwächen und Unzulänglichkeiten entdecken, Misserfolge erfahren. Wenn wir nachsichtig mit uns selbst sind und uns unsere „Fehler" vergeben, gewinnen wir Vertrauen in uns und entwickeln uns. Gleichermaßen gilt dies, wenn wir Nachsicht mit anderen üben. Wir „erlauben" uns und anderen „Fehler", in der Gewissheit, dass wir alle in einem Prozess des Lernens begriffen sind und all die wunderbaren Möglichkeiten auf dieser Welt ausprobieren dürfen. Jeder Mensch findet seinen eigenen Weg und erfüllt seine Aufgaben auf seine Art und Weise.

Wenn wir die Fähigkeit der Nachsichtigkeit erlernt haben, sind wir auch gleichzeitig in der Lage, uns und anderen Menschen Mut zu neuen Abenteuern zu machen. Weder grenzenlose Nachsicht, die in Nachlässigkeit mündet, ist hier gemeint, noch jene, die Unzuverlässigkeit erwachsen lässt. Es gilt, eine Form zu finden, eine Spannweite, einen Toleranzradius des Feldes der Nachsichtigkeit, die uns und andere fordert, ohne zu überfordern, die ermutigt, stärkt und zulässt, sich auszuprobieren.
Zuzulassen, dass jeder so sein darf, wie er ist, erlaubt uns, die zu werden, die wir sein können. Nachsicht offenbart und schenkt Einfühlungsvermögen, Vertrauen, Mitgefühl und Großzügigkeit – mit diesen Begleitern werden wir echte Nachsichtigkeit aufbringen, Liebe erstrahlen lassen.

Offenherzigkeit

Offenherzigkeit stimmt das Herz in Liebe

Offenherzigkeit als Qualität weist einerseits auf eine freimütige Wesensart hin, die all das zum Ausdruck zu bringen vermag, was im Herzen lebt, andererseits deutet sie die Bereitschaft an, unvoreingenommen aufzunehmen, was entgegengebracht wird. Das heißt, ein aufgeschlossenes Herz ist weit und gestimmt in beide Richtungen – zu empfangen und gleichzeitig zu geben.

Diese Präsenz und Zugänglichkeit ist für andere wahrnehmbar. Wir erkennen sie als Interesse, als Aufmerksamkeit. Das, was aus dem Herzen kommt, ist immer ehrlich, da dieses der Sitz unserer Liebe, Freude, unseres Mitgefühls und noch vieler weiterer Kräfte ist. Ist dieser Bereich unseres Wesens geöffnet, kann Wunderbares durch uns hindurchfließen. In dieser Bereitschaft ist das Herz fähig, sich einzustimmen, um die Tiefe des eigenen Wesens zu erfahren, ebenso wie die Tiefe der Menschen, der Schöpfung, und der Liebe der Schöpferkraft. In dieser Spannbreite ist das Herz auch gerüstet zu entscheiden, was es zulassen darf, um seine Kräfte zu halten, seine Ruhe zu wahren und zu regenerieren. Offenherzigkeit bedeutet also für uns selbst, die anderen Menschen und in gleichem Maße allem Schöpferischen gegenüber offen zu sein.

Wir lassen uns inspirieren, werden aufmerksam auf viele neue Impulse, die unser Leben bereichern könnten, sind offen für Ideen und werden motiviert, selbst neue Dinge, Aktivitäten, Vorhaben anzugehen und umzusetzen. Offenherzigen Menschen bleibt nichts verschlossen. Es ist die Weite der Offenheit, die hier ausschlaggebend ist. Das Herz ist so in der Lage, die Impulse unseres Wesenskerns zu vernehmen. Schöpferische Einfälle inspirieren uns, wir atmen das Geistige mit dem Herzen ein und es kann sich offenbaren.

Präsenz

In Präsenz leuchtet wahre Wirklichkeit

Präsenz zu zeigen und präsent zu sein besagt, sich in der Gegenwärtigkeit zu befinden – im Hier und Jetzt. Bewusst nehmen wir das wahr, was gerade ist, in Raum und Zeit. Unseren Körper im Raum wahrzunehmen ist konkret und leicht zu erfassen, doch Präsenz bedeutet gleichermaßen, den Augenblick zu erfassen, in der momentanen Zeitebene zu sein. Weder die Vergangenheit noch die Zukunft spielen hier hinein, sondern wir schenken der Gegenwart unsere uneingeschränkte Aufmerksamkeit – ohne zu bewerten, ohne zu vergleichen, ohne wegzuträumen. Um in diese Präsenz hineinzukommen, aktivieren wir die höchsten Fähigkeiten der Wahrnehmung und entwickeln ein starkes Bewusstsein, das uns in die Unmittelbarkeit des Momentes führt. Diese besondere Geisteshaltung ist ebenfalls für andere wahrnehmbar. Wir erleben die enorme Ausstrahlungskraft einer Person, die präsent ist, sie vermag zu bezaubern, ihre Kraft zieht uns an, sie hat eine be-*eindruck*ende Wirkung.

Es bedarf der kontinuierlichen Übung, diese Präsenz zu halten. Im Ausbilden dieser Präsenz entwickeln wir eine gesteigerte Aufmerksamkeit, die es uns ermöglicht, aus der Perspektive des Beobachters das unvoreingenommen aufzunehmen und urteilsfrei anzunehmen, was auf uns zukommt. Wir nehmen wahr, was wirklich ist, und stellen uns nicht vor, was wir meinen wahrzunehmen. Dieser Zustand schafft Klarheit, ja, er erschafft wechselseitig wiederum „Präsenz". Wir steigen in der neuen Wahrnehmungsfähigkeit aus unseren gewohnten Denkmustern aus und die „automatisierten" Sichtweisen verblassen. Das, was wahrgenommen wird, kann in seiner Wirklichkeit aufleuchten, und wir erfahren alles in seiner Reinheit, Ursprünglichkeit und Wahrheit.

Quellbewusstsein

Quellbewusstsein erwirkt schöpferische Kraft

Quellbewusstsein ist die Grundlage, die alle Informationen trägt. Wir erschaffen unsere Realität, sie entspringt unseren Gedanken, Emotionen und Überzeugungen, ob wir uns dieser bewusst sind oder nicht, ob wir wissen, aus welcher Quelle wir diesen Schaffensprozess nähren. Immer bilden wir unsere Wirklichkeit selbst – aus Ängsten oder Gottvertrauen, aus Wut, Enttäuschung, Hass oder Liebe, aus unserem Unbewussten oder aus einem höheren Bewusstsein. Wir sind die Autoren unseres Lebens und inszenieren dieses in gleichem Maße. Und in diesem großartigen Spiel „Leben" auf dieser Erde ist jeder individuell, jedes einzelnen Geschichte ist einmalig, einzigartig gelebt und erlebt.

Wenn wir das universelle, das kosmische Bewusstsein berühren, aus dem Quellbewusstsein schöpfen, so haben wir die „allerhöchste" Vorlage, zum Höchsten und Besten von uns und allen Wesen zu (er-)schaffen. Das Quellbewusstsein ist multidimensional, trägt alle Möglichkeiten, alle Energiemuster und Energiefelder in sich. Die einzelnen „Bestandteile" liegen dort und wir können sie als Menschen in die Raum-Zeit-Realität hineinziehen, um unsere Wirklichkeit zu kreieren.

Wir tauchen in diesen besonderen Bewusstseinszustand, in welchem dies geschehen kann, indem wir uns frei von Gedanken machen, leer für dieses Alles. Wir werden weit und gehen über die Dimension der physischen Welt hinaus in das einheitliche Feld. So richten wir unsere Energie auf dieses und erhöhen und erweitern unser Bewusstsein. Verbunden mit dem Quellbewusstsein erleben wir die unmittelbare Präsenz unserer Bewusstheit und wirken als Mitschöpfer.

Reinheit

Reinheit ist der Kristall des Göttlichen

Reinheit ist ein Zustand, in dem etwas völlig frei von Verschmutzung und unberührt ist. Sie beschreibt makellose Beschaffenheit. Es wird etwas als rein erkannt, das ausschließlich das ist, als was es sich vorstellt zu sein – nichts Fremdes ragt in dieses hinein. Reinheit bezieht sich auf Persönlichkeit, Charakter, Verhalten, Körper, Geist, Seele oder auf die Eigenart eines Objektes.

Spirituelles Wachstum ist nur in der Qualität der Reinheit möglich. Ein reines Herz wird durchlässig, ein reiner Gedanke klar, eine reine Seele mitfühlend, eine reine Absicht deutlich, ein reiner Geist frei. Reinheit als Tugend zu leben, bedeutet ihr zunächst eine besondere Bedeutsamkeit zu geben und seelische und geistige Reinigungsrituale zu kultivieren. Wir können unser Leben be*rein*igen, indem wir Vorurteile, Feindseligkeiten, Hass ausräumen, uns befreien von all dem, das uns beschmutzt, belastet.

Der Grad der inneren Reinheit ist davon abhängig, was wir aufnehmen und was wir wie der Welt zurückgeben. Wir räumen auf, im Inneren wie im Äußeren, ordnen, säubern, klären. Nur wir selbst können entscheiden, was wir als schmutzig, unrein erklären und was unser höheres Wesen verstellt. Dazu lernen wir zu identifizieren, was unsere Seele, unser Ich, unser Leben verschmutzt, und ergreifen entsprechend bereinigende „Hygienemaßnahmen".
Dabei hält und trägt uns die Gewissheit, dass unser innerstes Wesen, dieser göttliche Funke, der wir sind, immer rein ist. Dort finden wir pure Reinheit. Auf der Reise, die Tugend der Reinheit zu erlangen, werden wir durchlässig und klar, dies Göttliche nicht nur in uns, sondern überall sehen zu können.

Segenskraft

Segenskraft empfängt Liebe

Segen und Segnen tragen die Kraft der Liebe. Wir alle sind von der Schöpferkraft mit dieser Heil schaffenden Gabe gesegnet, und so ist Segen zu spenden eine Fähigkeit, die jedem Menschen zu Eigen ist. Segenskraft fließt lebendig und machtvoll aus der Urquelle, so dass wir als Menschen uns erlauben dürfen, Segen zu spenden, d.h. Segenskraft zu übertragen. Wir lenken sie zu etwas, in dem Bewusstsein, dass es die universelle Schöpferkraft alleine ist, die hier fließt und heilend Gutes wirkt. Von dieser Intension beseelt bedeutet Segen spenden in dem Sinne einzig, eine Brücke zu bilden, indem wir ein Ritual, ein Zeichen, eine Geste, ein Gebet oder auch nur ein Wort einsetzen, um diese heilende Energie wirken zu lassen. Im Segnen verankern wir diese Kraft auf das, worauf wir sie richten und übertragen wollen.

Die Qualität der Segenskraft zu kultivieren ist nichts anderes, als sich dieser Liebeskraft bewusst zu werden, und wir können im Kontakt mit ihrer Quelle zu einem Segen spendenden Menschen werden. Diese Verbindung verändert uns selbst, denn wir öffnen neue Wahrnehmungskanäle; wir tauchen immer wieder in das Bewusstsein dieser universellen Kraft ein und fördern damit unsere eigene spirituelle Entwicklung. Die heilende Kraft des Segnens wird dem Segnenden wie dem Segensempfänger zur Gesundung verhelfen. Wir lassen die Segenskraft wirken und leben gleichzeitig aus ihr. In diesem Sinne erfüllen wir alles mit dieser Liebeskraft, alle Menschen, alle Wesen, jeden Ort und jede Situation. Segenskraft vermag alles in Harmonie zu vereinen – sie wird zu einer kraftvollen inneren Haltung.

Toleranz

Toleranz führt zu Frieden und Liebe

Der Begriff „Toleranz" leitet sich ab vom lateinischen Wort für „erdulden" und „ertragen", wird jedoch heutzutage viel weiter gegriffen. Toleranz ist die Fähigkeit, andere Meinungen, Überzeugungen, Ansichten, Kulturen und Sitten, politische Ausrichtungen, Lebensentwürfe und -stile urteilsfrei zuzulassen.

Im Zusammenleben und -arbeiten wird Toleranz alltäglich abverlangt. Oftmals nehmen wir Meinungen, Überzeugungen oder Verhaltensweisen, die sich nicht mit den unsrigen decken, „notgedrungen", fast widerwillig hin. Toleranz zu zeigen heißt aber, diese nachsichtig und respektvoll anzunehmen, manchmal sogar, noch bestehende Vorbehalte mit tatsächlicher Akzeptanz zu überwinden. Dabei lassen wir andere Menschen in ihrem Sosein gelten und nehmen deren Anderssein an – ohne Spott, Ausgrenzung, sogar ohne manchmal nachvollziehen oder verstehen zu können, ohne zu urteilen.
Dem Ego wird es schwerfallen, trotz aller Divergenzen zu akzeptieren, dass andere ihre Persönlichkeit auf ihre individuelle Weise leben. Um die Qualität der Toleranz zu leben, liegt es an das eigene Handeln, Überzeugungen und Haltungen kritisch zu reflektieren. Doch selbst dieses hohe Gut der Toleranz hat seine Grenzen, dort wo das Verhalten eines anderen die Freiheit einschränkt, Werte des Menschen missachtet oder sogar Menschenrechten widerspricht.

Mit der Eigenschaft und Fähigkeit der Toleranz bereichern wir unser Leben mit neuen Einsichten und Inspirationen, wir werden innerlich weiter. Wir entwickeln Wertschätzung und lenken unsere Aufmerksamkeit verstärkt auf Gemeinsamkeiten. Vielleicht bedeutet Toleranz auch, dass es keine einzig selig machende Wahrheit gibt. Erst durch Toleranz wird es möglich, dass wir Menschen harmonisch und in Frieden zusammenleben können – ist sie doch immer zum Wohl des übergeordneten Guten von allen und allem.

Unabhängigkeit

Verantwortung in Freiheit gründet
Unabhängigkeit

Unabhängigkeit bedeutet damit weit mehr als ein Fehlen von Abhängigkeit. Sie ist eine Qualität und gleichzeitig ein Zustand der Selbstbestimmung und Freiheit.

Wir sind überall dort unabhängig, wo wir eigenverantwortlich und selbstbestimmt zu handeln vermögen – in vielen Bereichen: von Dingen, Geld, von Menschen oder Lebensumständen.

Unabhängigkeit bedingt eine starke Persönlichkeit, die von Selbstvertrauen geprägt ist, die von Selbstbewusstsein und mentaler Stärke zeugt. Wir wissen mit Klarheit, was wir können, wollen, wer wir sind. Wir können uns andere Meinungen anhören, Ansichten annehmen, dennoch werden andere nicht maßgeblich entscheidend für das, was **wir** tun und denken – wir sind nicht manipulierbar.

Doch auch wenn wir unabhängig sind, vermögen wir uns trotzdem an etwas zu binden und uns mit etwas tief zu verbinden. Ebenso kommen wir selbstverständlich auch verbindlich Verpflichtungen und Abmachungen nach. Unabhängigkeit zeigt einzig an, dass wir in unserer Mitte stehen. Ein Leben in Unabhängigkeit bedingt die Öffnung des Herzens. Wir hören auf unser Herz, kennen die Bedürfnisse und Bedingungen unseres Lebens und respektieren die der anderen.

Auf diese Weise setzt die Qualität der Unabhängigkeit immer auch ein Bewusstsein für die Balance von Anpassung und Selbstverwirklichung voraus. In Wahrheit sind wir mit allem verbunden, da wir den göttlichen Funken selbst in uns tragen, geistige Wesen sind. Tragen wir das Wissen um diese Verbundenheit, dann haben wir auch die einzigartige Größe die Verantwortung dieser Freiheit zu tragen.

Vergebung

Vergebung öffnet Wege zu Heilung und
Transformation

Die Qualität der Vergebung zu praktizieren ist eine der wichtigsten Grundlagen eines friedvollen Zusammenlebens und des inneren Friedens. In der „Ver*gebung*" geben wir einen Schuldvorwurf auf, wir lassen das als Unrecht, Schuld, Fehler beurteilte los. Wenn wir vergeben, ist wahre Versöhnung möglich.

Um vergeben zu können, müssen wir den Groll, die Schmerzen, die negativen Gedanken und schlechten Gefühle bewältigen, die eine Situation in uns ausgelöst haben.
Selbstvergebung ist dabei eine wichtige Komponente. Wenn Groll und Unstimmigkeiten uns pressen und einengend halten, nähren wir Ängste. Wir halten Probleme aufrecht, kreieren neue und tragen schwer an diesen, sind verstrickt in Schuldgefühlen und Schuldzuweisungen, Druck und Anspannung steigen: Da wird die Qualität der Vergebung zur Erlösung, zur Befreiung schlechthin. Indem wir unser Herz ausdehnen, erkennen wir, dass wir selbst es sind, die für alles, was uns geschieht, Verantwortung tragen. Wir entlasten uns und andere, werden leicht, lassen die Fesseln der Vorwürfe los, in denen wir uns haben einschnüren lassen. Wir geben uns an uns selbst zurück, denn die emotionale Macht, die wir denen zugestehen, gegen die wir Groll hegen, kündigen wir mit der Vergebung auf.

Vergebung ist die Kraft eines starken Herzens. Von hier aus können wir um Vergebung bitten, uns selbst und anderen vergeben. Erst in dieser Dreiheit ist die Vergebung vollständig, und wir schenken uns und der Welt Frieden und Freiheit.

Würde

In Würde ruht Erhabenheit der Schöpfung

„Die Würde des Menschen ist unantastbar." Dieses Recht ist in unserem Grundgesetz verankert. Wie leben und erleben wir nun Würde in unserem Alltag?

Die Würde eines Menschen ist geprägt von seinen Wertmaßstäben. Wir alle haben eine Vorstellung von uns selbst und innere Überzeugung von dem, was uns ausmacht und was uns als Mensch auszeichnet. Gehen wir davon aus, dass wir Menschen geistige Wesen sind, die eine menschliche Erfahrung machen, kommen wir nicht umhin, dieses „höhere Selbst" zu würdigen. Würde ist demnach die Bestätigung und Anerkennung, die Wertschätzung und Ehrung eines **jeden** Menschen.

Entwickeln wir Würde als Qualität, erkennen wir sie als einen elementaren Wert an, offenbaren sich darin unsere Größe und die der ganzen Schöpfung. In diesem Prinzip erweisen wir uns würdig als der Mensch, der wir gedacht sind.
Diese Anerkennung der Erhabenheit macht alles und jedes zu einem Träger der Würde, zu einem „Würdenträger". Wunderbar ist dies im Artikel 1 der Allgemeinen Erklärung der Menschenrechte, festgehalten, in dem es heißt: „Alle Menschen sind frei und gleich an Würde geboren."

Xenophilie

Xenophilie weitet Leben

Xenophilie bedeutet Fremdenfreundlichkeit, ebenso die Vorliebe für das Unbekannte und Fremde. Ob dies nun Menschen, andere Kulturen, ferne Länder oder Dinge sind, immer ist ein positives Interesse für das Fremde die treibende Kraft. Wir öffnen uns und sind bereit, vorurteilsfrei dem Neuen zu begegnen, es an uns heranzulassen. Fremdenfreundlichkeit zeigen wir durch Gastfreundschaft oder Abenteuerlust, auch durch Freude, Fremdes zu entdecken. Es braucht Neugier, Zugänglichkeit und freudige Erwartung oder gar positive Wissbegierde und Sympathie. Immer geht der Fremdenfreundlichkeit ein Wohlwollen voraus, ohne jegliche Überheblichkeit.

In der Aufgeschlossenheit, die der Xenophilie zugrunde liegt, in dem Aufgeben von Vorurteilen, die wir dem Fremden gegenüber „pflegen", können wir persönlich wachsen, denn wir erschaffen vielfältige Möglichkeiten neue Perspektiven einzunehmen und Wissen und Ressourcen zu generieren. Die Vielfalt der Welt vermag sich uns zu offenbaren und erweitert unseren Horizont.

Xenophilie ist eine hilfreiche Qualität, um auf dem spirituellen Weg voranzukommen. Wir wagen, über unsere eigenen Ansichten und Gedanken, ja Glaubensmuster hinwegzukommen, wenden uns in positiver Aufgeschlossenheit dem Fremden und Unbekannten zu. Das Leben wird vielfältig und staunend entdecken wir Dimensionen, die wir uns nie hätten träumen lassen.

Yin-Yang

Yin-Yang tanzt im Prinzip des Rhythmus

Die Grundlage jeglichen Gleichgewichts ist das Prinzip des Yin-Yang. Yin gilt als der weibliche Pol, Yang als der männliche – wobei „weiblich" und „männlich" hier vielfältigste Eigenschaften symbolisieren. Es ist das sich Ergänzende und ebenso die Ganzheit, die sich in der Spannbreite zweier Polaritäten zeigt. Dieses Prinzip ermöglicht uns, Polaritäten zu erfahren und unmittelbar die Verbundenheit und Gleichzeitigkeit ihrer Qualitäten zu ergründen.

Sowohl im Kosmos wie im Menschen finden Yin und Yang Ausdruck. Wir kennen das Zweiheits-Prinzip überall in unserem Leben, denn die Welt ist von 2poligen Mustern bestimmt, wie Mann-Frau, Armut-Reichtum, Licht-Finsternis usw.; ebenso kennen wir Gegensätzlichkeit in unserem Verhalten und unserer Wahrnehmung, z.B. gut-böse, heiß-kalt, schwarz-weiß, positiv-negativ. Polaritäten sollten sich immer im Austausch befinden, denn Gegensätze sind – wie wir es im Zeichen des Yin-Yang deutlich erkennen – immer auch das Bild der Einheit. Erst zusammen ergeben die Pole die Ganzheit. Wo es Licht gibt, da ist auch Schatten, und das eine bedingt das andere.

Im Wahrnehmen des Prinzips von Yin-Yang setzen wir uns mit beiden auseinander, ohne eine Seite zu verdrängen oder zu negieren. Auf diese Weise nähern wir uns einem umfänglichen Erleben der Welt, entdecken uns in unserer Ganzheit. In diesem Spannungsfeld zu stehen fordert uns heraus. Aber so lernen wir, immer wieder eine Ausgewogenheit herstellen, einen Rhythmus im Leben zu erkennen, die Gegensätze wahrzunehmen und sie als Einheit zu erfassen – wir kommen in Balance und erfahren Harmonie.

Zielstrebigkeit

Zielstrebigkeit erhebt Schaffensfreude

Ein Ziel bestimmen zu können und die Energie zu besitzen, dieses eigenverantwortlich anzustreben sind zwei Grundvoraussetzungen für Zielstrebigkeit. Wir sind fähig, uns auf etwas auszurichten und konsequent zu handeln – unser Denken, Fühlen und Wollen ist und bleibt auf das anvisierte Ziel fokussiert.

Die Qualität der Zielstrebigkeit wird ein wertvolles Attribut der Liebe, bleiben wir mit Freude dieser verbunden. Auf diesem Weg überwinden wir viele Hindernisse, Ängste, Widrigkeiten und Widerstände, wir werden über uns hinauszuwachsen und unser Ziel erreichen können. So wird Zielstrebigkeit wahrhaft und in erweitertem Sinn zu einem Streben nach Höherem.
Es braucht vielleicht etwas Mut, das Ziel tatsächlich auf etwas Hohes auszurichten, ohne Angst vor Scheitern oder Blamage und ohne Voreingenommenheit und Überheblichkeit. Hermann Hesse sagt: „Damit das Mögliche entstehe, muss immer wieder das Unmögliche versucht werden."

Haben wir die Zielstrebigkeit als Attribut unserer Persönlichkeit entwickelt, können wir offenen Herzens unsere Ziele bewusst erfassen und sie uns stecken. Dann sind wir auch stark genug, ausdauernd Wege zu gehen, vielleicht sogar mehrmals neue Ansätze zu finden, um das anvisierte Ziel zu verwirklichen. Gelassen gehen wir voran in der Erfahrung, in jedem Moment dieses Strebens anzukommen.

Zufriedenheit

In Zufriedenheit lebt Ruhe und Frieden

Zufriedenheit ist ein bedingungsloses und uneingeschränktes Einverstandensein mit allem. Sie gleicht einer inneren Genugtuung. Haben wir das Beste aus dem gemacht, an dem wir gerade sind, was wir erstrebten und zu erreichen suchten, sind wir zufrieden.

Die gesteigerte, vollkommene Zufriedenheit basiert auf einer inneren Grundhaltung. In dieser sind wir auch einfach mit dem zufrieden, was ist, ohne uns im Besonderen angestrengt oder herausgefordert zu haben und ohne ein Gefühl des Glücks erschaffen zu müssen. Diese tiefe Zufriedenheit erwächst einer Lebenseinstellung, der die Gewissheit zugrunde liegt, dass immer und alles richtig ist, was gerade geschieht. Dies beschert nun tiefe Ruhe: Es gibt nichts, das uns aus der Bahn werfen kann – wir sind in Frieden. Und wenn unser gesamtes Wesen von Frieden erfüllt ist, fühlen wir uns unweigerlich glücklich.

So ist die Fähigkeit der Zufriedenheit ein Gewinn, denn wir können das Leben genießen. Wir haben die Energie und die Freude, im Moment zu bleiben, denn dieser beinhaltet alles, was wir brauchen. Wir entwickeln aus dem Frieden und der Ruhe in uns eine Stärke, die uns unsere Energie richten lässt auf das, was uns wahrhaft dienlich ist. Zufriedenheit bringt unseren Geist ins Gleichgewicht, und sie wird auf diese Weise eine Grundlage für Freude.

Zufriedenheit ist ein Zustand, in dem wir uns mit Gott und der Welt, allen Menschen verbunden fühlen. So erhebt sich Zufriedenheit zu einer Tugend und beflügelt als Fähigkeit die spirituelle Entwicklung.